La Prin
de pierre

Texte des frères Grimm

Dessins de Clément Lefèvre

Conception graphique
et réalisation : Cédric Ramadier

ISBN : 978-2-218-97316-1
Loi 49.956 du 16 juillet 1949
sur les publications destinées
à la jeunesse.

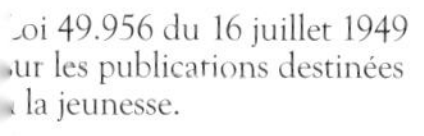

Cet ouvrage est rédigé
avec l'orthographe
recommandée par le ministère
de l'Éducation nationale.

Trois princes vivaient dans un vieux château. Un jour, les deux ainés qui s'ennuyaient à mourir partirent à l'aventure.

Comme ils aimaient beaucoup faire les quatre-cents coups, ils décidèrent de ne plus jamais retourner au château.

Pendant ce temps, leur petit frère s'inquiétait. Un matin, n'en pouvant plus d'attendre, il partit à leur recherche.

Lorsqu'il les trouva enfin, les deux ainés se moquèrent de lui :

« Oh ! Quelle chance que tu sois venu, petit frère, nous n'aurions jamais pu nous débrouiller sans toi. Tu es tellement plus intelligent que nous ! » Et ils éclatèrent de rire.

Le jeune prince répondit simplement : « Vous devez rentrer tout de suite au château ! »

« Et pourquoi donc ? Nous nous amusons tant ! Viens plutôt avec nous ! »

Le jeune prince ne voulait pas laisser ses frères seuls. Il accepta donc de les suivre et tous trois reprirent la route.

Un jour, au détour d'un sentier, les princes aperçurent une fourmilière.

Le plus âgé voulut la fouiller afin de voir les petites fourmis apeurées se précipiter au dehors, en transportant leurs œufs pour les mettre en sureté.

Le plus jeune s'écria : « Laisse donc ces animaux en paix, je ne peux pas supporter qu'on les dérange ! »

Les deux ainés s'éloignèrent tout en se moquant de ce petit frère si sensible.

Ils continuèrent leur chemin et arrivèrent au bord d'un lac où barbotait un grand nombre de canards. Les deux ainés voulurent en attraper quelques-uns et les faire cuire, mais le plus jeune ne les laissa pas faire :

– Laissez donc ces animaux en paix, je ne peux pas supporter qu'on les tue !

– Décidément tu es trop sentimental, on ne peut rien faire avec toi ! répondirent ses deux frères.

À nouveau, ils s'éloignèrent en riant.

Plus tard, ils trouvèrent une ruche qui était tellement pleine de miel qu'elle en débordait. Les deux ainés voulurent faire un feu sous la ruche afin d'enfumer les abeilles. Ils pourraient ainsi voler leur miel.

Mais le plus jeune les en empêcha encore et leur dit :

– Laissez donc ces animaux en paix, je ne peux pas supporter qu'on les brule !

– Petit frère, on s'ennuie vraiment avec toi ! Nous n'aurions jamais dû t'emmener avec nous !

Et ils s'éloignèrent en se moquant à nouveau de lui.

Finalement, les trois princes arrivèrent près d'un château qui avait l'air abandonné.

Un paysan qui vivait près de là, leur expliqua qu'une méchante sorcière avait transformé en pierre toutes les plantes, tous les animaux et tous les habitants de ce château. Elle n'avait épargné que le roi pour qu'il souffre de voir ses trois filles dormir d'un sommeil de pierre. Le paysan leur conseilla de ne pas s'en approcher.

Mais les trois princes n'en firent rien. Ils se dirigèrent tout droit vers la porte du château et regardèrent à l'intérieur par un petit trou dans le mur.

Là, ils virent un homme gris et triste comme la pierre, assis à une table. C'était le roi.

Ils l'appelèrent une première fois :

« Sire ! Sire ! Ouvrez-nous ! »

Pas de réponse.

Ils essayèrent une seconde fois mais le roi ne bougea pas.

Ils l'appelèrent à nouveau. Le roi se leva enfin, ouvrit la porte et, sans prononcer un seul mot, les conduisit dans les cuisines.

Lorsque les trois princes eurent mangé et bu, le roi, toujours muet, leur montra leur chambre et ils allèrent dormir.

Le lendemain matin, le roi réveilla les trois princes et leur fit signe de le suivre. Il les conduisit, tout en haut du donjon, dans une pièce secrète et leur montra une tablette de pierre où étaient gravées trois inscriptions. Chaque inscription décrivait une épreuve à accomplir pour délivrer le château de son mauvais sort.

L'ainé des princes lut la première inscription.

« Sous la mousse de la forêt, reposent les mille perles des princesses.
Avant le coucher du soleil, elles doivent toutes être retrouvées. S'il manque une seule perle, celui qui les a cherchées sera changé en pierre. »

L'ainé, qui était toujours très sûr de lui, partit dans la forêt. Il chercha durant toute la journée. Mais lorsque la nuit tomba, il n'avait trouvé qu'une centaine de perles seulement.

Il arriva donc ce qui était écrit sur la tablette : un nuage de fumée entoura le prince qui, aussitôt, fut changé en pierre.

Le jour suivant, le deuxième prince, pensant qu'il était plus malin, se lança à son tour à la recherche des perles. Mais il ne fit pas beaucoup mieux. Le soir venu, il n'en avait trouvé que deux-cents.
La fumée blanche l'enveloppa et, aussitôt, il fut changé en pierre.

Le plus jeune prince était désespéré. S'il voulait revoir ses frères, il devait absolument réussir cette épreuve.

Le lendemain matin, il se mit donc lui aussi à rechercher les perles.

L'épreuve était vraiment difficile et la recherche des perles prenait un temps infini… Découragé, il s'assit sur un rocher et se mit à pleurer. À ce moment-là, la reine des fourmis, à qui il avait un jour porté secours, arriva avec cinq-mille autres fourmis.

Les petites bêtes se mirent aussitôt au travail. En quelques heures, les mille perles furent rassemblées en petits tas.

– Merci mes amies, grâce à vous, j'ai réussi la première épreuve !

Après cette réussite, le jeune prince lut la deuxième inscription :

« La clé de la chambre des princesses repose au fond du lac. Mais attention, elle doit être retrouvée avant le coucher du soleil, sinon celui qui l'a cherchée sera changé en pierre. »

Lorsqu'il vit l'étendue du lac, il pleura à nouveau. Jamais, il ne retrouverait la clé enfouie dans toute cette vase !

Par bonheur, les canards, qu'il avait un jour sauvés, barbotaient dans ce coin. Tous plongèrent dans les profondeurs du lac. Quelques instants plus tard, l'un d'eux déposa la clé au pied du jeune prince.

– Merci mes amis, grâce à vous, j'ai réussi la deuxième épreuve !

Le jeune prince lut la troisième inscription. C'était l'épreuve la plus difficile.

« Parmi les trois filles du roi, il en est une qui est plus jeune et plus gentille que les autres. Avant le coucher du soleil, elle doit être reconnue. Celui qui n'y arrivera pas sera changé en pierre. »

Malheureusement, les trois princesses pétrifiées se ressemblaient comme des gouttes d'eau.

Seules les sucreries que les princesses avaient mangées avant d'être pétrifiées permettaient de les distinguer. L'ainée avait mangé un morceau de sucre, la cadette un peu de sirop et la benjamine une cuillerée de miel.

Pour la troisième fois, le prince fondit en larmes :

– Je ne pourrai jamais reconnaitre la plus jeune et la plus gentille des princesses ! Je vais être transformé en pierre...

C'est alors qu'arriva la reine des abeilles que le jeune prince avait un jour protégée. Elle se posa sur la bouche de chaque princesse et s'arrêta finalement sur les lèvres de la troisième… Elle avait reconnu le gout du miel !

Le plus jeune des princes montra alors du doigt la plus jeune et la plus gentille des princesses. Aussitôt, tout ce qui avait été changé en pierre reprit vie : le sort était levé.

Les trois princesses, éblouissantes de beauté, se réveillèrent au même moment.

Quelques semaines plus tard, le jeune prince épousa la plus jeune et la plus gentille des princesses et devint roi. Ses frères se marièrent avec les deux autres princesses.

On dit qu'après cette aventure, les deux ainés ne se moquèrent plus de leur frère et qu'ils ne firent plus jamais de mal aux animaux !

Achevé d'imprimer par Clerc à Saint-Amand-Montrond - France
Dépôt légal : 97316-1/06 - avril 2018